Татьяна
Ранькова

P9-DWK-798

Сильвен Райнер

ЭВИТА

Подлинная жизнь Эвы Перон

SILVAIN REINER

EVITA

LA VRAIE VIE D'EVA PERÓN

l'Archipel